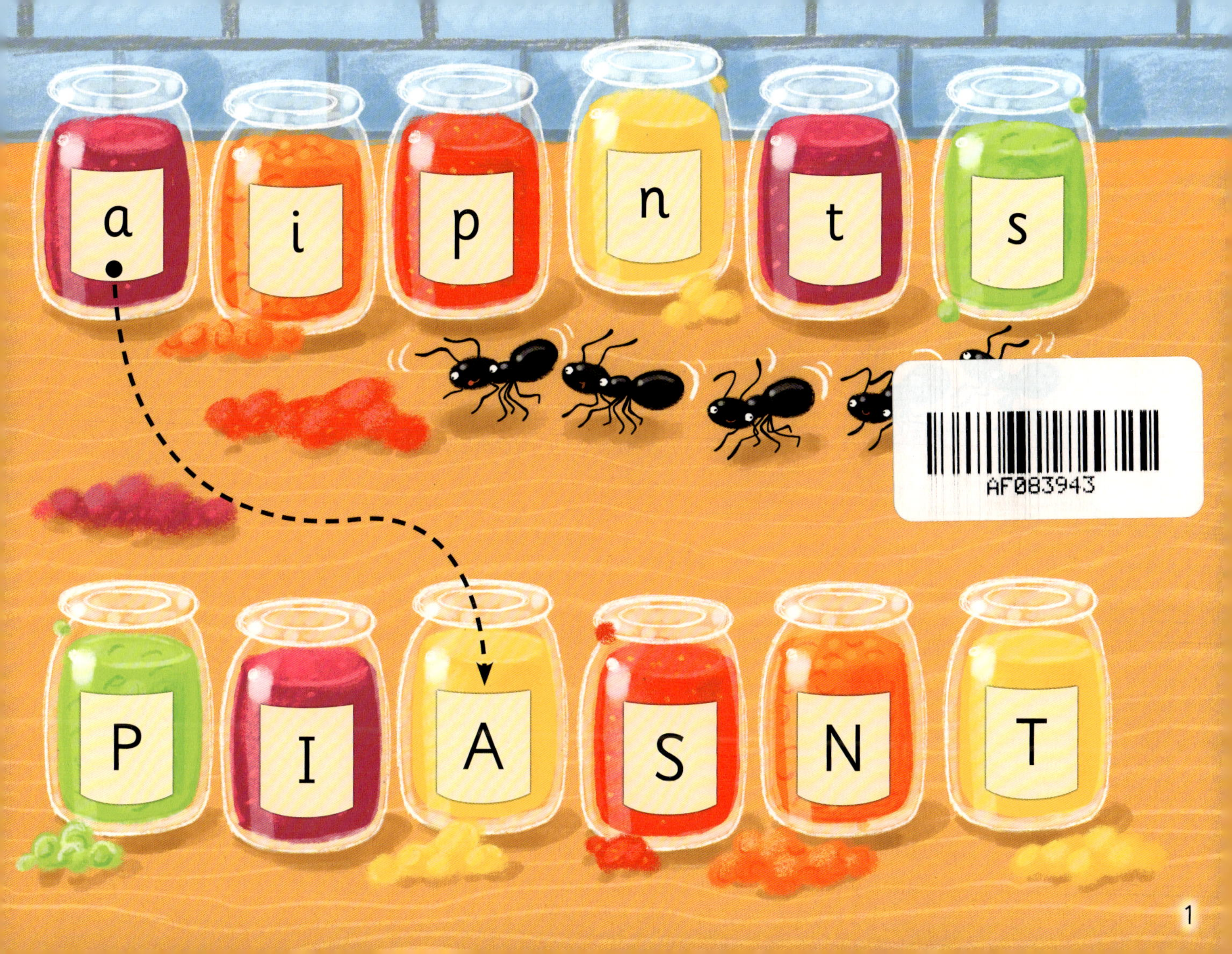
a
i
p
n
t
s
P
I
A
S
N
T

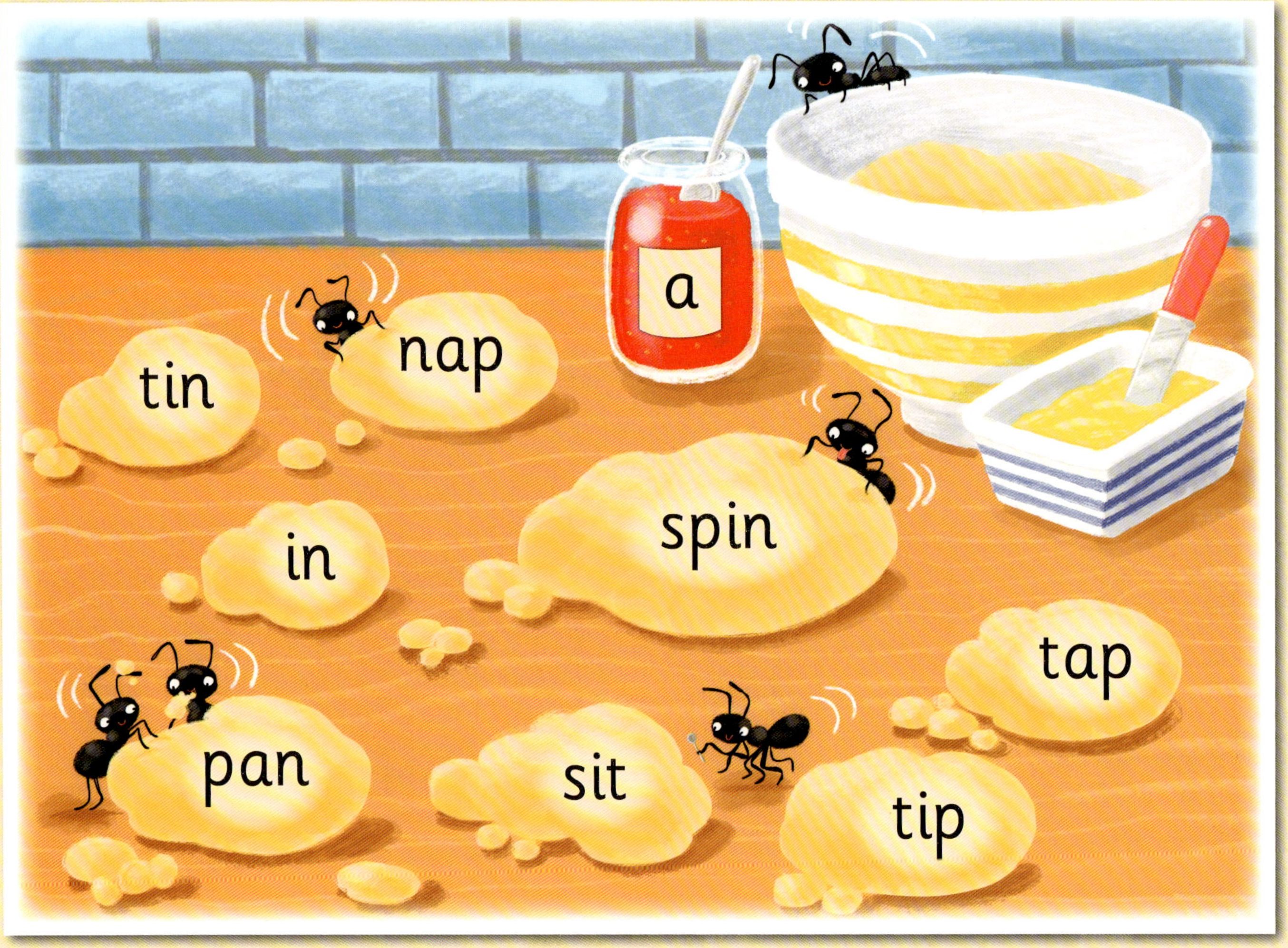
a
nap
tin
spin
in
tap
pan
sit
tip

Ants!

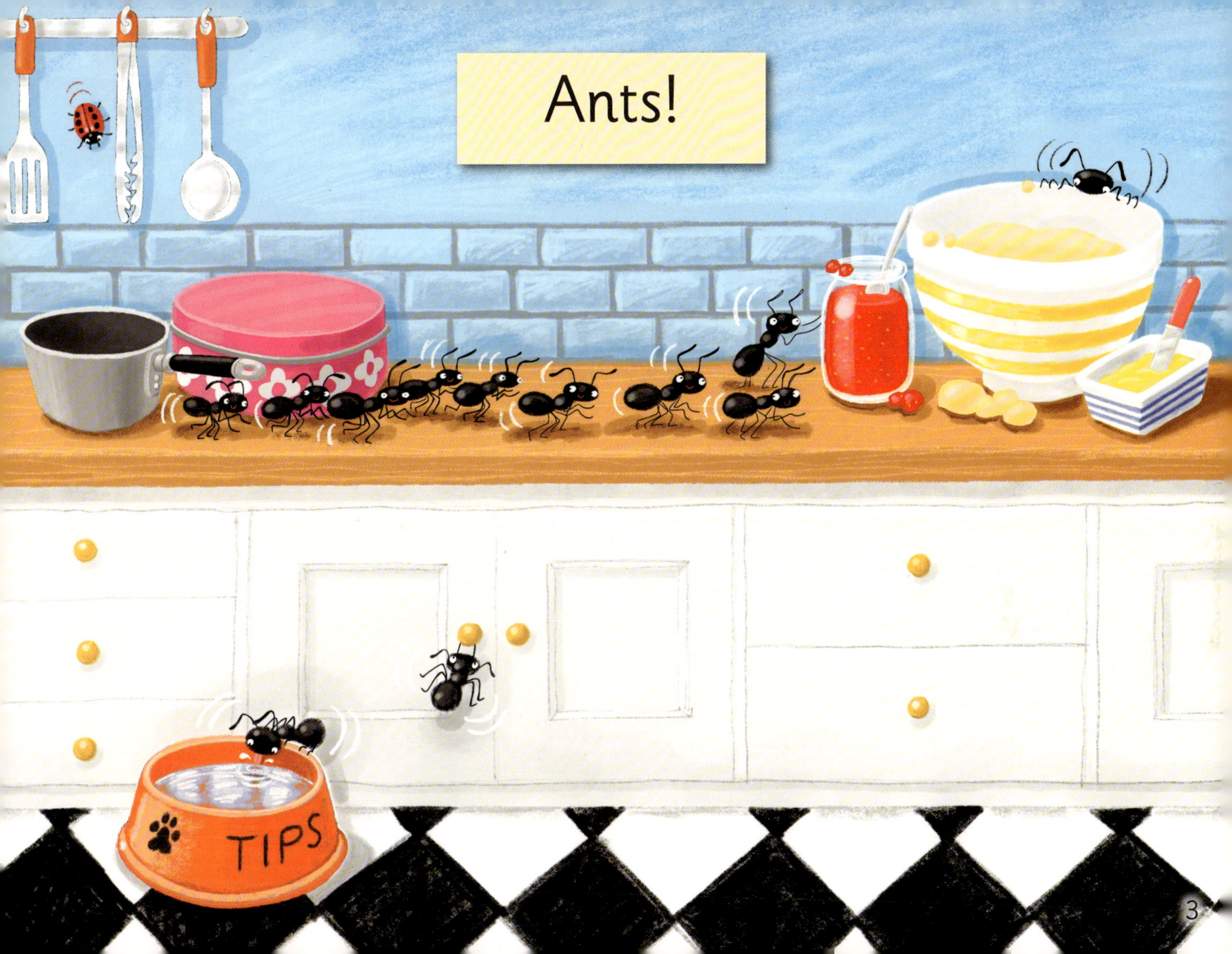

Ants spin.

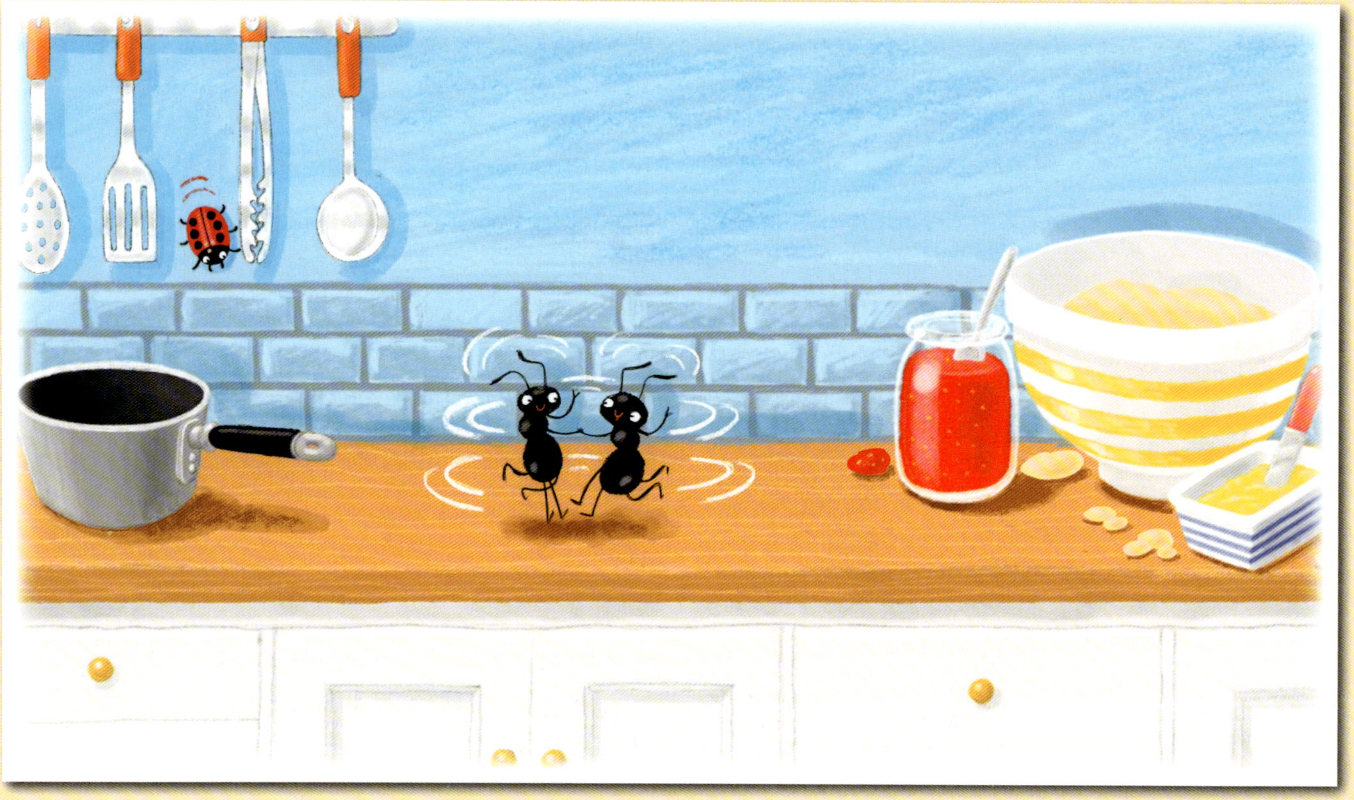

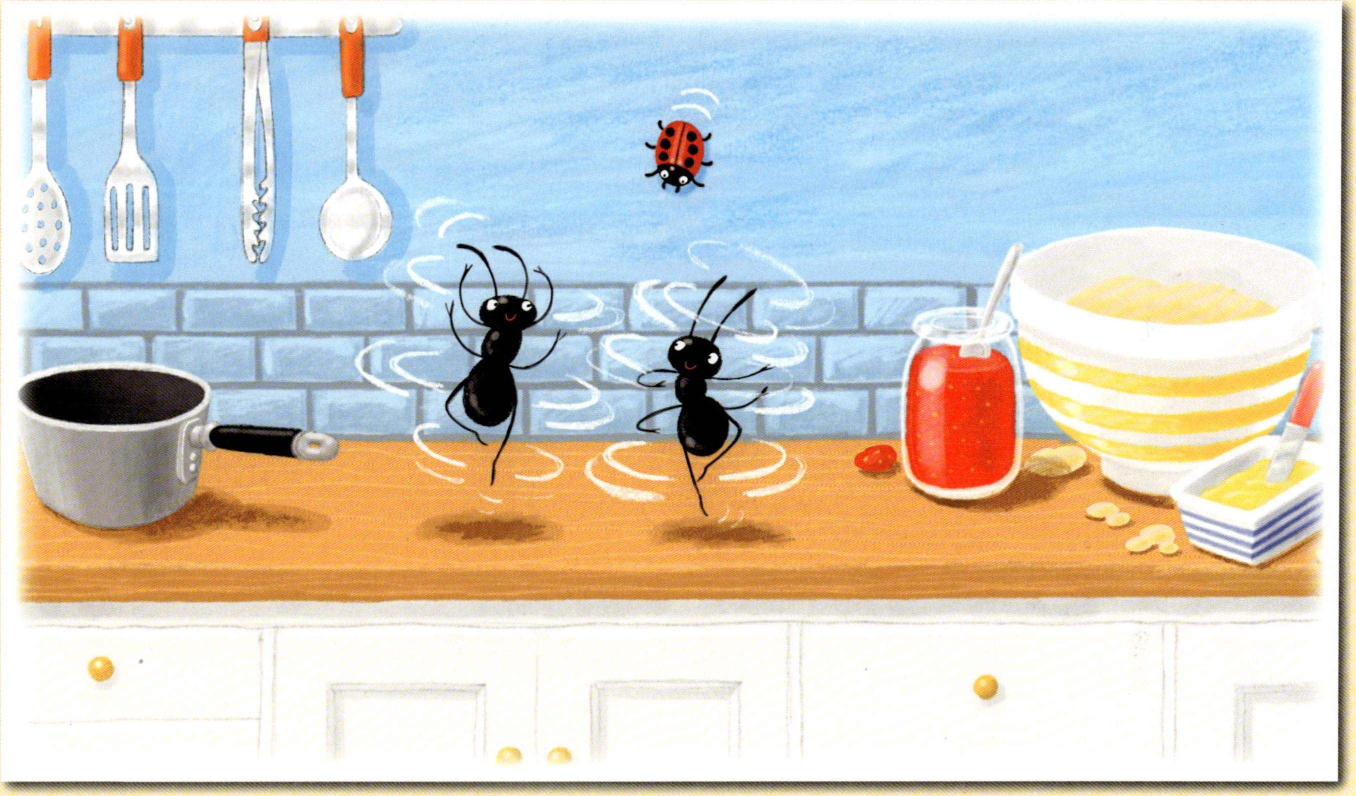

Ants spin, spin, spin!

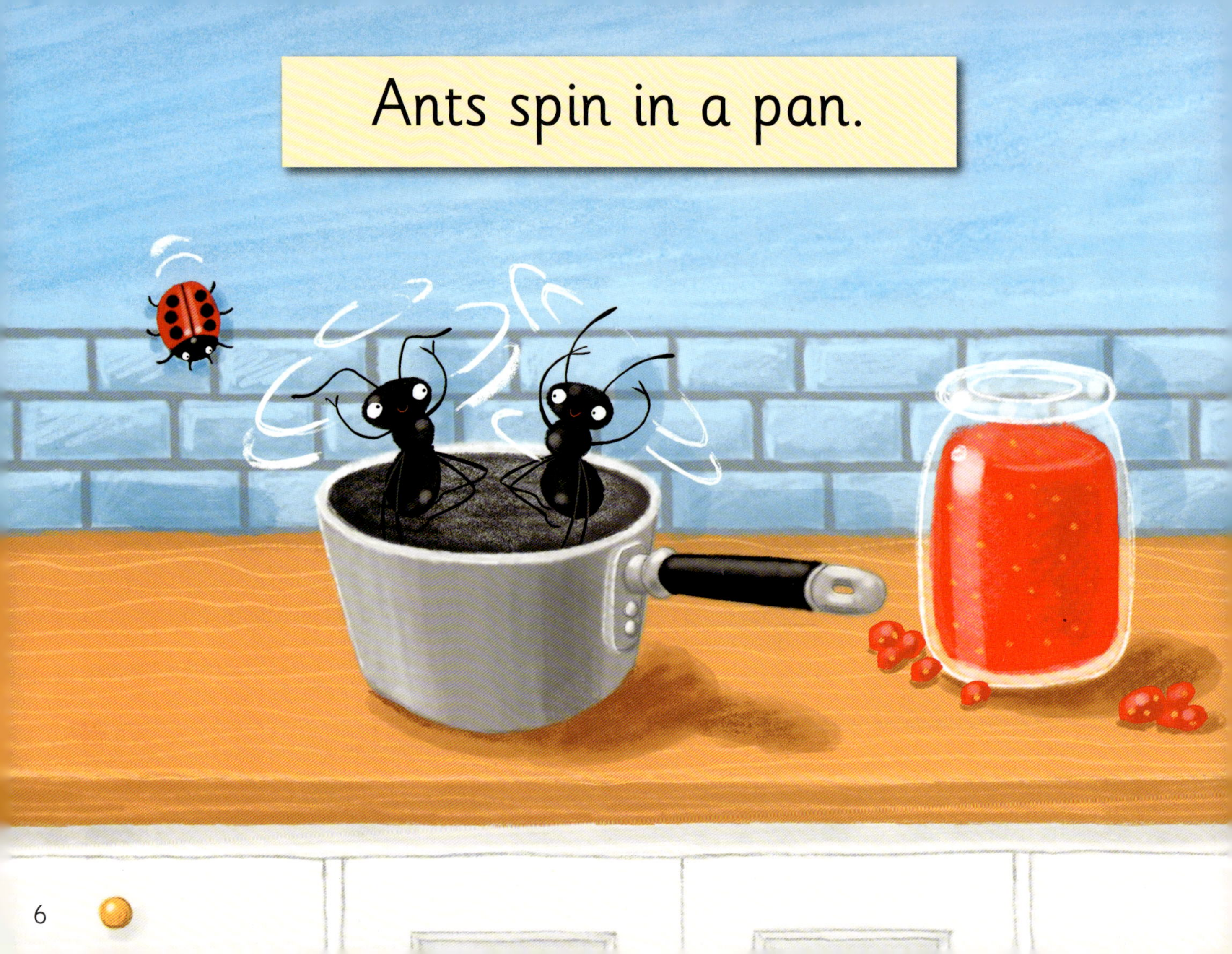

Ants spin in a pan.

Ants spin in a tin.

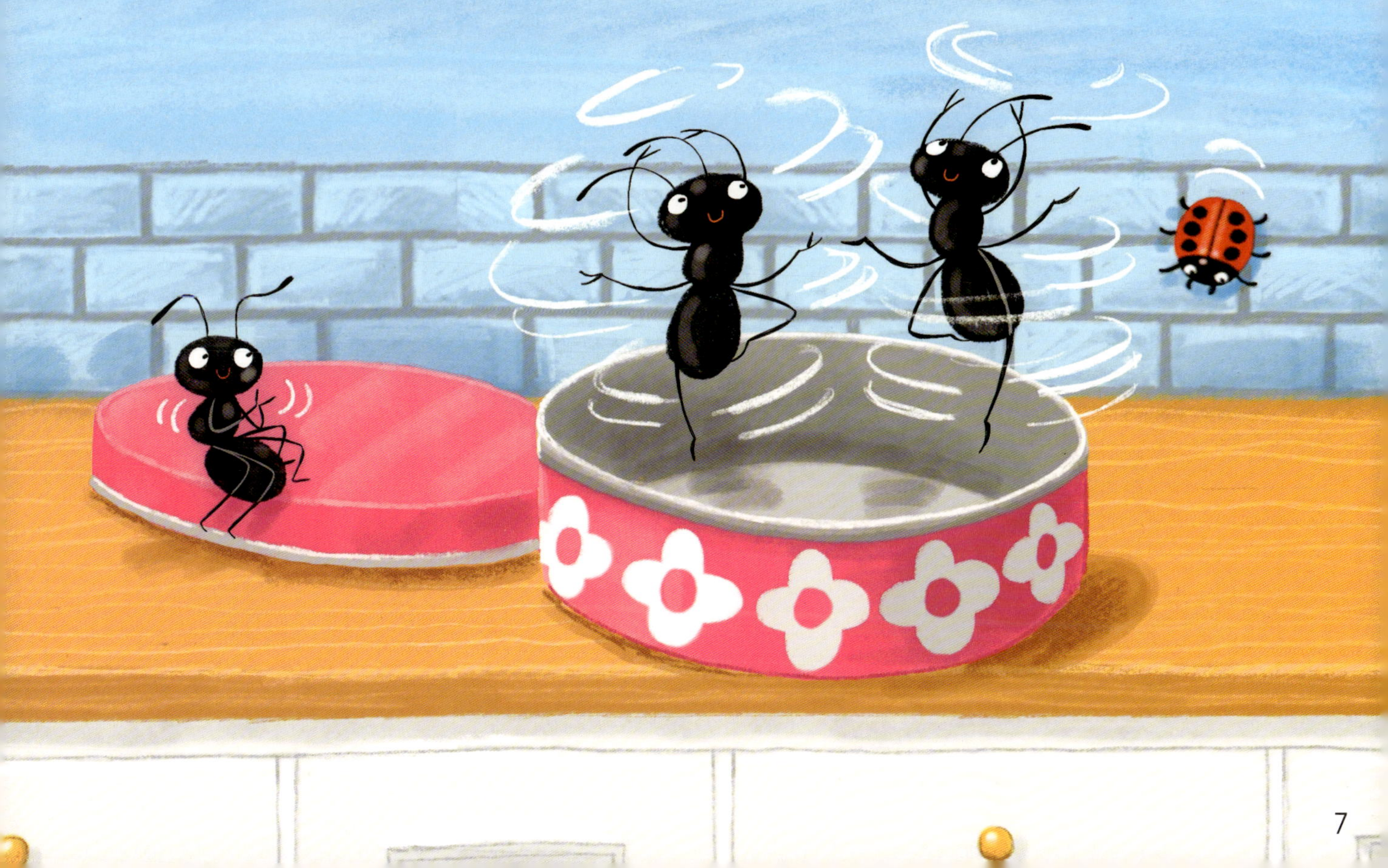

T-t-t tap! Tap, tap, tap!

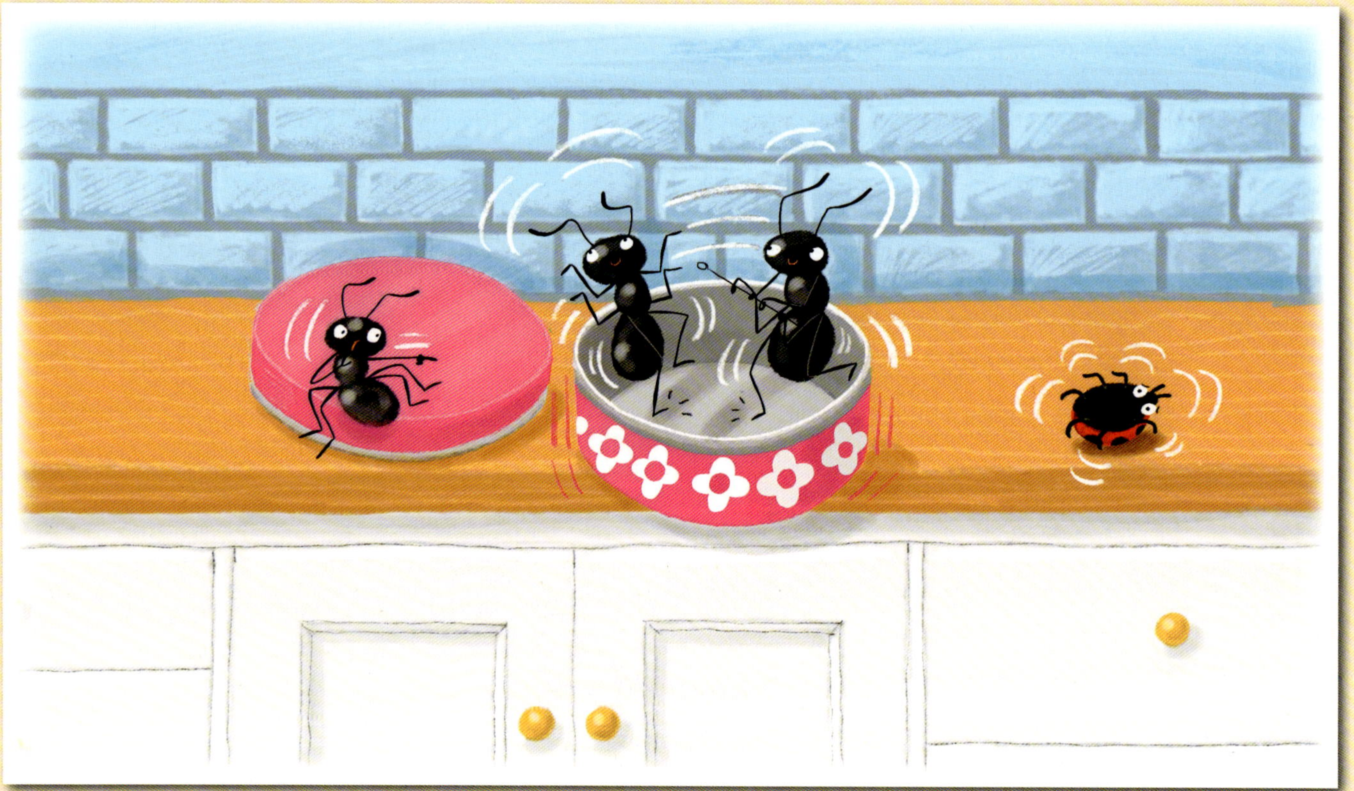

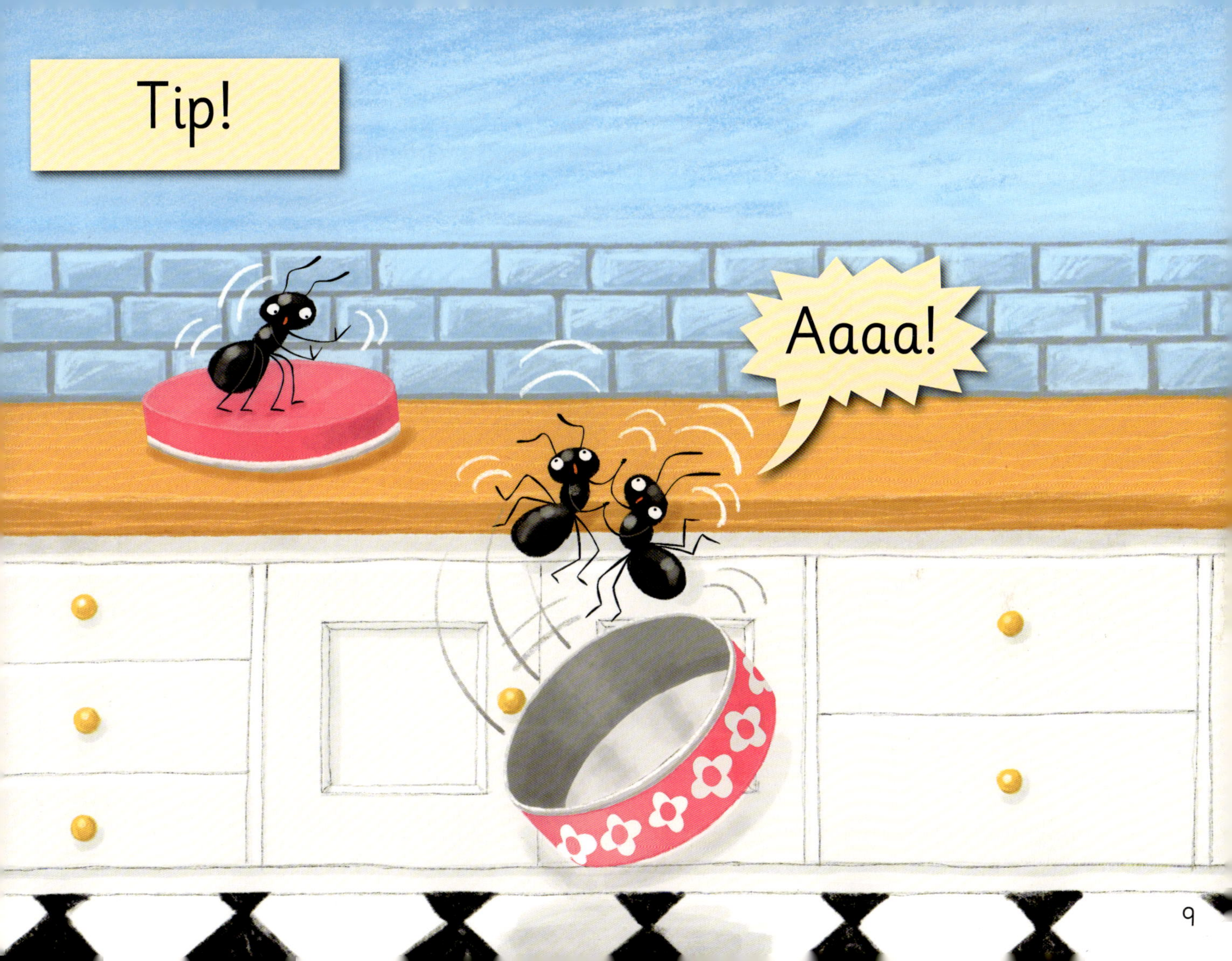
Tip!
Aaaa!

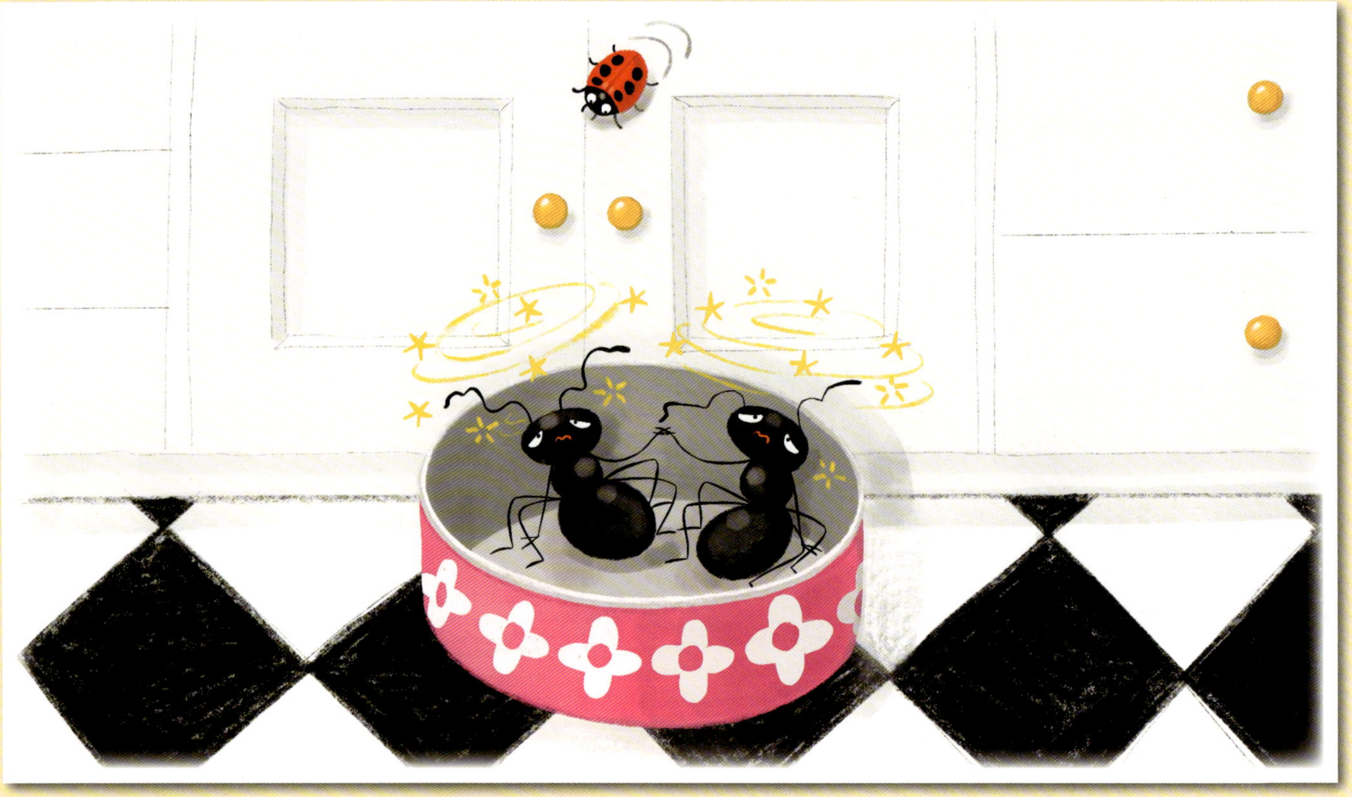

Ants sit.

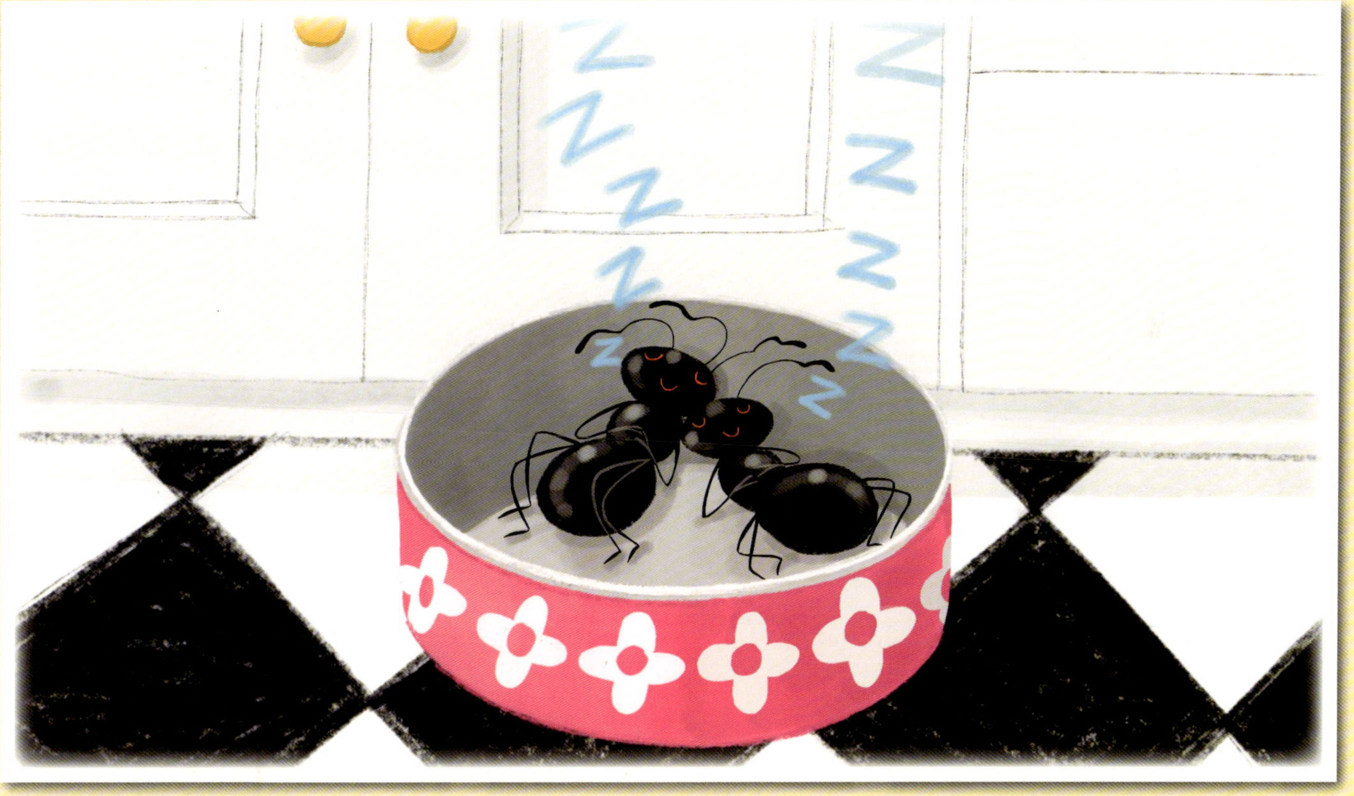

Ants nap.

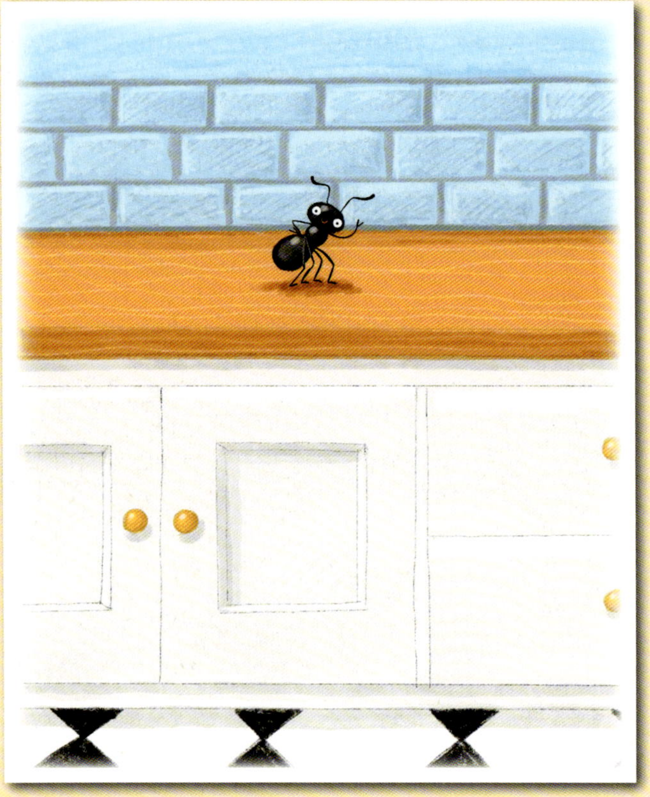

an ant

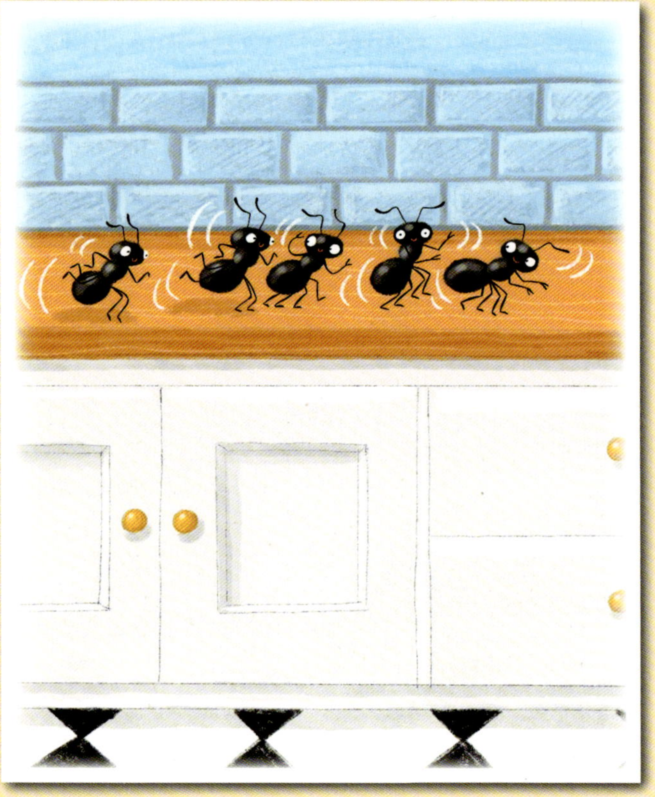

ants